Llwybrau

Haf Llewelyn

ⓗHaf Llewelyn

Argraffiad cyntaf: 2009

ISBN 978-1-906396-17-6

Cyhoeddwyd gyda chymorth ariannol
Cyngor Llyfrau Cymru.

Cyhoeddwyd gan Gyhoeddiadau Barddas
Argraffwyd gan Wasg Dinefwr, Llandybïe

Llwybrau

I Siôn

Gair Byr

Diolch i Gyhoeddiadau Barddas am y cyfle
i gyhoeddi fy ngwaith, ac yn arbennig i Swêl, y
Prifardd Elwyn Edwards, am ei amynedd a'i gyngor.
Diolch i fy mam am fy annog. I'r
plant, Grisial a Leusa, am wneud cinio
Sul, ac i Nedw a Seren am ei fwyta.
Diolch i Iola am y lluniau ac am ddeall fy meddwl.
Diolch i Dalwrn y Beirdd am y cyfle
i gychwyn rhoi meddyliau ar bapur.
Mae llawer o'r cerddi yn gysylltiedig â
fy mro enedigol, Cwm Nantcol, Ardudwy, a'i
chymeriadau. Mae fy nyled yn fawr iddynt.
Yn bennaf, diolch i Siôn am ei ffydd.

Llwybrau

Cynnwys

7	Llwybr
8	Enw
10	Gwenllian
12	Maddeuant
14	Hwyl Ddiniwed
15	Adfail
16	Tâl
18	Capel Tŷ'n Drain
20	Daeth Unwaith Ha' ...
22	Cwrlid
23	Chwarae Tŷ
24	Priodas Arian
24	Hwiangerdd
24	Oriau Mân y Bore
25	Nain yn 'Llnau'r Capel
26	Angel
28	Cof Plentyn
30	Torf
31	Rhyw Bethau Bach ...
32	Wyneb
35	Deilen
37	Traeth
39	Oedi
43	Un Llwfr Wyf ...
45	Llandanwg

49	Wrth Fwrdd y Gegin
50	Llwybr y Pererinion
52	Meirionnydd
54	Cerydd
55	Drych
56	Hel am Storm
58	I'r Goeden
59	Cwmni
60	Crud
61	Draenen ar Ffridd Glanrhaeadr
62	Beth Sy'n Bod ar Gymru?
64	Drws
65	Gwacter
66	Dyn Bach y Golau
68	Neb
69	Lliw
70	Elyrch
71	Hen Ŵr
71	Storm
71	Dieithriaid
72	Eglwys Santiago de Compostela
74	Urddas
75	Diwedd y Dydd
76	Cyffwrdd

Llwybr

Un daith, mi wn, o'i dethol
a daw i ni ein doe'n ôl,
dim ond cam ar y gamfa
a hen swyn un nos o ha'
sy'n cerdded rhwng y rhedyn,
ni ein dau'n dal dwylo'n dynn.

Ein geiriau'n llawn o'r gorwel,
ni welen ni'r niwl yn hel,
hwyliau bach yn hawlio bae
yn haid o'n dyheadau.
I ni y bae oedd ein byd
a'n heinioes yn un ennyd.

Enw

(Enw ar fferm ym mhlwyf
Llanenddwyn yn Ardudwy yw
Llwyngwian. Gwerthwyd y fferm, a
newidiwyd yr enw yn 'Meadow Farm'.)

Pan ddaw hud y machlud mwyn
hyd bennau'r brwyn a'r rhedyn,
a throi y ffridd yn aur i gyd
o'r Byrdir hyd at Benbryn,

eistedd dro ar ben 'rAllt Fawr,
rhyw awr i synfyfyrio;
fe weli hogia' Uwchlaw'r Coed
a Bron y Foel yn sgwrsio.

Heibio i Dyddyn Llidiart dos,
drwy'r Rhos am Werncaernyddion;
efallai y cei botas poeth
yng nghegin brysur Llwynion.

Ond brysia, paid ag oedi'n hir,
yn wir, mae'r gwynt yn codi;
mae poer yr ewyn ar y Sarn
a'r niwl yn cau am Enlli.

Brysia dy gamau, doi cyn hir
at gyrion tir Llwyngwian,
na hola ddim, na throi i weld,
mae'r cŷn yn dechrau stwyrian.

Nid oes yma groeso nawr,
i'r neuadd fawr na'r buarth,
i brydydd hud a'i eiriau cain,
mae'r chwedlau i'r rhain yn ddiarth.

A glywi sŵn ym mrigau'r ynn,
hen nodau syn yn hwian?
Mae rhywrai eto'n chwilio'r ffridd
am hen, hen dân Llwyngwian.

Gwenllian

Ym mrigau'r helyg
mae hwian hwiangerdd,
a thincial bysedd yr ewyn
yn plethu alaw
ar gregyn gwynion
dy Aber di.

Ymysg yr heli
mae dagrau'n cronni,
a'r cerrig crynion bach
yn glwstwr tlws
ar draeth,
fel geiriau cyntaf
plentyn bach –
dy eiriau di.

Llwybrau

Yma y gollyngaist hwy
pan gefaist dy ddwyn –
blentyn yr heulwen –
a'th roi mewn cell,
a gyda threiglad
y blynyddoedd
aeth y cerrig crynion bach
yn angof gennyt.

Ond heddiw
gosodais hwy
yn batrwm ar draeth,
a thoc daw bysedd
yr ewyn heibio i'w deffro,
a chlywir eto
ryw sibrwd ar yr awel,
dy enw di –
Gwenllian.

Maddeuant

(Rhyfel cyfiawn Bush a Blair)

Mewn gardd unwaith
aeth un i chwilio,
a chanfod gwyrth
mewn bedd gwag.

"A wyt ti'n credu mewn gwyrthiau?"
meddai hwn yn ei lifrai.
"Edrych, dyma iti fara,
deuthum i dy achub
a'th arwain o'r tywyllwch –
rhannaf gyda thi fy ffydd
fel y maddeuir i ti …"

"Diolch,"
meddai hithau,
a throi i chwilio yn y llwch,
a chanfod
dan y rwbel
y llaw fach lonydd.

"Gwyrth?" meddai hi,
a chodi'r bychan
a'i lapio'n dyner
mewn cadachau.
"Na," meddai,
"wn i ddim am wyrthiau."

Ac aeth hwn yn ei lifrai heibio
i chwilio am enaid colledig
arall i'w achub.

Hwyl Ddiniwed

Cydia mewn carreg,
tafla hi –
'dydio ddim yn meddwl
'run fath â ni.

Dipyn bach o hwyl ydi o,
poera i'w wallt –
'dydio ddim yn perthyn,
'dydio'm yn dallt.

Dipyn bach o hwyl ydi o,
gwasga'r rhaff yn dynn –
'dydio ddim yn normal,
'dydio'm o ffor' hyn.

Dipyn bach o hwyl ydi o,
tywallt ddŵr
yn bistyll dros ei wyneb –
mae o'n siŵr
o sylweddoli wedyn,
mwy neu lai,
ein bod ni a'n daliadau
yn gwbwl ddi-fai.

Adfail

(Wedi ymweld â charreg fedd
Siwan ym Miwmares, aethom
ymlaen i adfeilion yr hen fynachdy
ym Mhenmon, ac yno daethom
ar draws dyn dieithr, blin.)

Un hwyl wen oedd ym Mhenmon
a gwên yr heulwen oedd hon,
a hiraeth am ryw draeth draw
yn estyn yno'n ddistaw.

Ond o fewn cylch dy feini,
ni chlywn ychwaith dy iaith di,
nid oes cysur mewn muriau,
na chof, na chlicied i'w chau;
gwylan hen yn crechwenu,
drws yn agen ddi-wên, ddu.

Un dydd fan yma y dof
a hwyl wen yr haul ynof.
Dof eilwaith ar dy daith di
a daw'r alaw drwy'r heli.

Tâl

"Yr Arglwydd yw fy mugail ..."
Onid dyna dy eiriau
pan ddoist ti gyntaf?
Nid oedd i ti dir –
ond roedd gennyt
air dy dduw
i'th gynnal,
meddet ti.

A minnau –
roedd gen i dir,
a gwreiddiau
fy ngwareiddiad
yn ddwfn yno
yn y pridd coch.
Ac ambell waith,
efallai i mi glywed
llais fy nghyndeidiau
yn suo'r awel rhwng y brwyn.
Ond wyddwn i ddim bryd hynny
am eiriau amwys dy dduw di.
"Ie, pan fyddi'n rhodio
ar hyd glyn cysgod angau,
nac ofna niwed,
canys yr wyf fi,
a fy nuw gyda thi."

Llwybrau

Do, fe aethost ti a mi
i le a chysgod angau
yn grechwen uwch fy mhen,
a'r weiren bigog yn derfyn i mi.
Ac yno y gadewaist fi,
a dy dduw.
"Arlwya ford ger fy mron," meddet ti,
"ira fy mhen ag olew, fy ffiol sydd lawn."

Bellach
nid oes imi dir,
ond gwn yn iawn am eiriau Duw:
"Atat ti, O Arglwydd,
y dyrchafaf fy enaid."

Capel Tŷ'n Drain

(Ardudwy)

Rhwng y muriau
gwyngalch hyn
unwaith
daethant I'th geisio,
a'u coleri gwynion
yn crafu
llosg haul y cynhaeaf.

Ac yn Nhŷ'n Drain
bryd hynny
roeddet Ti yno'n aros,
aros am Morus Gellilas
a'i ddyled efallai,
neu'n aros
i estyn Dy law drugarog
i forwyn fach Uwchlaw'r Coed
a'i baban dibechod –
oherwydd
yma yn Nhŷ'n Drain
bryd hynny
aeth rhagfarnau'r dydd
o'r tu arall heibio.

Ond heddiw
a'r muriau gwyngalch
yn gysgodion gwyrdd,
mae rhedyn emrallt
yn glustog
ar sedd y pulpud.
Ond tybed
a wyt Ti yno o hyd?
Neu efallai
i Ti gael digon
ar aros.

Daeth Unwaith Ha'...

Daeth yr ha' i'r Cwm,
hen ddewin ar ddawns
a'i fantell o sidan emrallt
yn gollwng o'i godre
ddarnau o les,
yma ac acw
i drimio'r cloddiau.

Ac o'r Foel,
dilynai hen ŵr
lwybr y ffrwd wen
a'i gwylio'n
llithro'n ddafnau dryslyd
i lawr y llethrau.
Eu gwlân
yn drwm o friglach mynydd,
cyn cyrraedd
yn fôr swnllyd
i gae Tan-lan,
i dwrw'r peiriannau a'r pitsh,
y chwysu a'r chwerthin,
y rhannu a'r rhegi.
Ac yna'r waedd gyfarwydd,
yn ei brat yng ngolau'r drws –
"Cinio hogia'."
A'r peiriannau'n tewi.

Ond fel llafn
llithrodd cysgod arall
rhyngddo ef a'r golau.
"Lunch,"
meddai hon yn ei hofyrôl.
Ac yng nghlep y drws hwnnw,
gwyddai fod dewin yr ha' eisoes
wedi casglu
godre'i fantell emrallt ato,
ac na chlywai wedyn
ddim ond cri ddryslyd
un ddafad unig,
yn atsain
ar y creigiau.

Cwrlid

(Mam)

Unwaith
fe'th wyliais
yn gwau edafedd
yn chwedlau lliwgar,
a'th bwythau cain
yn plethu'n eiriau
o ofal.

Heno,
a'r lliwiau'n bŵl
datod a wna'r
pwythau cain,
ond ymhleth
yn yr hen rubanau,
mae geiriau'r chwedl
yno o hyd i'm cynnal.

Chwarae Tŷ

Fi ddaeth â'r set o lestri bychan
i chwarae tŷ bach o dan y dderwen;
fi gafodd ddraenen dan fy ngewin
wrth glirio'r asgell o fwrdd y gegin,
yn barod amdanat ti.

Fi daenodd liain gwyn dilychwin,
a chasglu blodau'r drain yn eisin
i drimio'r gacen bridd, i'w dangos
yn falch o'm camp, ac yna aros
am sŵn dy gamau di.

Fi fu'n rhwygo'r mwsog emrallt
i wneud clustogau, fi fu'n tywallt
gwin dail tafol i'r gwydrau teilchion,
a chraffu wedyn trwy'r cysgodion
am rith d'amlinell di.

Mae eisin blodau'r drain 'di gwywo,
a'r lliain gwyn yn staeniau heno;
mae'n oeri yma wrth fwrdd y gegin,
a dial draenen dan fy ngewin
eto'n fy mrifo i.

Priodas Arian

(I Derec ac Ann, Gwanwyn 2009)

Eich cariad roed yn goedlan, – a deilio
wna dwy alaw'n gytgan;
ni ddaw rhew heddiw i ran
y dail ir hudliw arian.

Hwiangerdd

(I Seren)

Trwy erwau y tir arian, – yn dalog
awn a dilyn wincian
y sêr trwy'r cwrlid sidan,
ynom mwy mae'r pwythau mân.

Oriau Mân y Bore

Bwystfilod o gysgodion – yno'n hel
ar yr hewlydd llwydion,
a minnau'n gweld y manion
yn gewri mawr, lawr pob lôn.

Nain yn 'Llnau'r Capel

(Capel Cwm Nantcol, Ardudwy)

Tybed a grafodd
rhywun ei enw
ar bren y groes,
fel ar y sêt
yng Nghapel Cwm?

Yno mae'r enwau'n rhesi
o grafiadau ceiniogau'r casgliad,
yn greithiau gwynion.
Enwau direidi
cyn pwysau'r bihafio;
enw 'nhad, enw 'mrawd,
a'm henw innau.

"Mae'n henwau ni i gyd ar bren y groes,"
meddai Nain,
a'i dwylo'n tyner
bolsho'r sêt yn sglein.
Llygaid yn dwrdio
wrth fy ngweld
yn ceisio cuddio
craith y pechod gwyn,
ar y pren du.

"Mae'n henwau ni i gyd ar bren y groes."
A gwn mai ceinciau
rhyw hen, hen bren
a welai Nain yn codi'n sglein
dan ofal ei dwylo hi.

Angel (Yn dilyn marwolaeth Baby P.)

Si hei lwli
blentyn gwyn,
daw angel uwch dy fatres
i fwmian cân,
mwytho dy wallt
a'th gymryd yn ei fynwes.
Aros, aros, blentyn tlws;
fe ddaw'r bore at y drws.

Si hei lwli
blentyn gwyn,
daw'r angel at dy friwiau
i leddfu rheg
a llosg y ffags
a'u golchi yn ei ddagrau.
Cysga, cysga, blentyn tlws;
fe ddaw'r bore at y drws.

Llwybrau

Si hei lwli
blentyn gwyn,
mae'r angel heno'n brysur;
nac wyla – paid,
bydd dawel, bach,
rhag codi crach hen ddolur.
Shsh, tewa, cuddia, blentyn tlws,
i'r bore gael dod at y drws.

Si hei lwli
blentyn gwyn,
o ganol llwch y gornel
daw siffrwd plu
ond 'welest ti
mo'r wawr na'r weddi dawel.
Cysga, cysga, blentyn tlws.
Daw bore arall at ryw ddrws.

Cof Plentyn

Dim ond teirblwydd
oeddet
pan gododd
di'n ei freichiau,
a brethyn ei lifrai'n gras
ar lyfnder dy groen.
Nid oedd y botymau pres
na'r esgidiau uchel
yn ddim ond rhyfeddod arall
i lenwi dy fyd.

Ni welodd yntau
yn dy lygaid glas
'run cysgod deigryn,
dim ond adlewyrchiad
y briallu a'r heulwen
ar fore o wanwyn
yng Nghae'r Defaid.

Oherwydd
pan welaist ei gefn
yn diflannu tros y gefnen,
nid oedd y Rhyfel Mawr
i ti yn ddim ond
ffosydd brwynog y ddôl fach.
Ond gyda'r nos
welaist ti mohono
yn dychwelyd.
Ac yn dy feddwl teirblwydd
roeddet ti'n gwybod
mai yno yr oedd o hyd,
yn crwydro ffosydd y ddôl,
a'r briallu
yn dorchau ar y gefnen.

Torf

Hen, hen gŵyn
sy' yng nghri'r gwynt,
hen alar
a hen helynt,
a throsom daeth
rhewynt Rhagfyr,
ei fysedd main
a'i hen gur.
Yr un boen,
a'r un saeth
a drawyd
ers gwewyr Catraeth.
Yr un ystum
ar 'sgwyddau –
'run cwlwm
amdanom yn cau.
Hen rengoedd
yn rhannu cysur
o gylch y bedd
yn un mur.
Ond â'r dorf
yn toddi i'r gwyll,
disgwyl
mae'r stafell dywyll
am Heledd
yno i aros
heno ei hun –
newydd yw'r nos.

Llwybrau

Rhyw Bethau Bach ...

(Dad)

Rhyw bethau bach sy'n dod â thi yn ôl –
nid cân y gog ar fore llachar Mai,
na'r bwtsias dan y coed, na briallu'r ddôl,
na chwaith un lle yn wag, neu blât yn llai
wrth fwrdd y gegin ar ryw fore Sul;
nid wrth fynd rownd y defaid gyda'th ffon,
a theimlo siâp dy law, a'r carn yn gul;
nid sŵn y daeargi bach, fel hen diwn gron
gan ddisgwyl am yr helfa ddiwedd dydd;
nid ar gae sioe na 'steddfod, lecsiwn chwaith
na phrotest heddwch dan faneri ffydd;
ni welaf di yn nagrau'r machlud maith.
Ond pan ddaw'r plant a'u chwedlau, yr wyt ti
o gylch y bwrdd yn chwerthin efo ni.

Wyneb

(Mewn ymateb i lun a dynnwyd
o ferch fach ar lwybr
yn un o ddyffrynnoedd yr Himalayas)

Aros mae'r fechan
am y glic glyfar,
heb wên, heb wg,
dim ond edrychiad,
ac yn y craffu hwnnw
a wêl, tybed,
heibio i amrant sydyn
y lens wydr,
a chanfod, y tu hwnt,
ein byd o bethau,
a ninnau yno
ar goll, yn gwegian
dan bwysau'n biniau sbwriel?
"Rwyt ti'n gyfoethog,"
meddai,
cyn symud
ar ei thaith lychlyd
i dendio'r geifr
mewn rhyw ddyffryn unig,
a'n gadael ninnau
yn syllu
mewn hiraeth
ar ei hôl.

Llwybrau

Deilen

Hen wraig
a'i breichiau noethion
ar y ffridd
yn dal rhwng
ei bysedd meinion
ryw fymryn
o hen femrwn,
mae'n dal yn dynn,
dynn yn hwn.

O'i fewn
y mae cyfrinach
un dydd o Fai,
un bore bach;
hithau'n hardd
mewn gwisg gywrain,
symudliw werdd
o sidan main.

Yn ei llaw
mae'n dal o hyd
y ddalen frau;
un freuddwyd,
y gwêl eto, efallai,
ryw fore bach
o fis Mai

Traeth

('Dance me to the end of love', Leonard Cohen)

Yma y clywsom gyntaf alaw'r lli
yn plethu nodau mwyn yng nghân y gwynt.
Rhyw ddawns a'r rhythmau'n cydio ynom ni
a'n cymell yno i droelli'n gynt a chynt,
ar ras ar hyd ehangder llawr y ddawns –
dros dywod gwyn, gan weithiau adael ôl
ein sodlau'n gleisiau ar y swnd, ond siawns,
cyn llwydni'r wawr, na ddeuai'r llanw'n ôl
i glirio'r traeth. Ond yn ein camau nawr
mae'r ddawns yn 'rafu, rhaid yw cymryd pwyll
rhag sathru'r cregyn miniog hyd y llawr,
neu deimlo tan y gwymon frath rhyw dwyll.
Tyrd gyda mi, anghofia'r camau gynt –
yn ara' bach fe awn ni gyda'r gwynt.

Oedi

(Castell Harlech)

O'r fan hyn mi welaf furiau llwyd
yn cau yn gylch, a thu ôl i'r glwyd
ymhlyg mewn gwisg o sidan main
mae gwraig yn eistedd, yn gwylio'r brain.
Yn faneri du, mae'r adenydd llydan
uwch ei phen yn troelli, herio, cwhwfan.
A draw dros y Sarn mae'r ewyn yn poeri,
mae'r niwl yn ara' gau am Enlli –
ond aros a wna'r wraig, aros i wrando
ar y brain yn y tŵr, a'r cenlli'n curo.
A thros y muriau yng nghwyn yr awel,
mae'n clywed plant yn wylo'n dawel.
O'r fan hyn, gallaf weld y sgrech isel, fain –
mae hi'n cofio'r tŵr, mae'n adnabod y brain.

Llwybr

Un daith, mi wn, o'i dethol
a daw i ni ein doe'n ôl,
dim ond cam ar y gamfa
a hen swyn un nos o ha'
sy'n cerdded rhwng y rhedyn,
ni ein dau'n dal dwylo'n dynn.

Ein geiriau'n llawn o'r gorwel,
ni welen ni'r niwl yn hel,
hwyliau bach yn hawlio bae
yn haid o'n dyheadau.
I ni y bae oedd ein byd
a'n heinioes yn un ennyd.

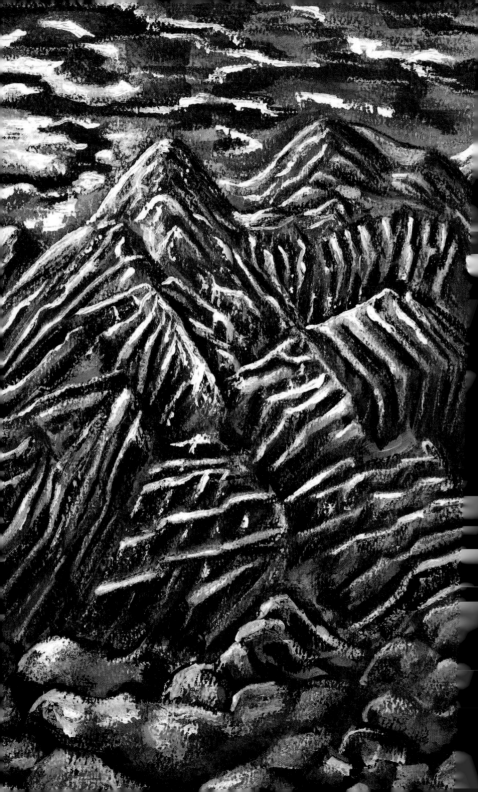

Un Llwfr Wyf ...

... un cryndod
bychan bach,
yn swatio'n glòs
mewn cornel
ymyl byd.
Fy mhen ynghudd
dan glogyn melfed mwyn,
rhag i mi
gymryd golwg
heibio'r plyg –
a chanfod yno
ddüwch toriad gwawr,
neu glywed
ubain drycin
yn y gân.

Paid â dod i'm cymell
gyda thi ar daith –
rhag ofn i'm troed
lithro ar y sgri,
a'th yrru'n bellach byth
o'm cyrraedd i.

Llandanwg

(Yma y claddwyd Siôn Phylip, bardd
Corsygedol, a foddwyd wrth ddod yn
ei ôl o daith glera ar benrhyn Llŷn)

Estyn dy law
i ddal munudau'r tywod aur,
sy'n llithro'n araf
ddiaros
trwy wydr niwlog amser.

Dal yno'n dy law
ennyd o aur,
ac fe glywi
leisiau gwŷr Mochras
yn hel gwymon,
a phwysau'r car llusg
yn crafu llwybr
trwy'r cregyn bregus.

Un gronyn arall –
a chlywi
ryw alarnad
ar yr heli,
a galarwyr y meini llwyd
yn estyn eu lleisiau
dros dreigl y twyni,
nes toddi'n un
a llepian pendil y llanw –
'nôl a 'mlaen, 'nôl a 'mlaen.

Tyrd,
chwala'r gronynnau mân i'r gwynt,
ac yno dan dy fysedd
cei ganfod geiriau'r prydydd
ar y garreg lwyd.
Yna daw gwŷr Mochras â'r elor
dros y cregyn teilchion,
eu clogynnau llaes
yn dal niwl y gwyll
yn eu plygiadau llwyd.
Ger y porth
fe ddônt ac aros
gan blygu pen i wrando
geiriau'r gosber
yn sibrwd trwy'r hesg.

Llwybrau

Wrth Fwrdd y Gegin

Mae'n hwylio'r bwrdd at ginio,
"Mi ddôn nhw gyda hyn,"
mae'n estyn am y bara,
mae'n c'nesu'r dysglia' gwyn.

Fe gwyd i sbïo wedyn
trwy ddrws y gegin gefn,
ond does neb wedi cyrraedd,
mae'n dechrau dweud y drefn.

Draw wrth glawdd y mynydd
ni wêl ddim ond y brain
a sypyn o wlân rhyw famog
ymhleth ym mrigau'r drain.

Mae'r dydd yn tynnu ato,
glaw mân yng nghwyn y gwynt,
mae hithau'n dal i chwilio
am rith o'r dyddiau gynt.

Mae'n clirio'r bwrdd yn araf,
"Mi ddôn nhw gyda hyn,"
mae'n lapio'r dorth tan fory,
mae'n cadw'r dysglia' gwyn.

Llwybr y Pererinion

(Ger Gellfechan, Ardudwy)

Unwaith ar y llwybr hwn
bu'r Brodyr,
ac eithin melyn Mai
yn cydio
ym mhlygiadau
eu brethyn llwyd;
a thybiais
imi eu gweld
yn datod rywfodd
rubanau'r niwl
dros y Sarn,
gan adael
Enlli'n gryndod yn y gwres –
a'r môr cyn lased, medden nhw,
â mantell sidan
Branwen gynt.

Unwaith ar y llwybr hwn
daeth amdo'r barrug
i gloi pob perth,
ac ar anadl y gwynt
fe glywais ias
rhyw hen alarnad,
a gwyddwn wedyn
am y cigfrain uwch y corff,
a bysedd y rhewynt
yn siglo'r crud
yn Abergwyngregyn.

Ond unwaith
ar y llwybr hwn
daeth un i'm cwrdd,
na welai undim
ond y graig islaw.
Ac er i mi ddangos iddo
yn y llwch olion y rhai
a aeth o'n blaen,
ni fynnai weld,
ac er clustfeinio
ni chlywai chwaith
'run chwedl yn y gwynt,
dim ond cri gwynfanus
rhyw hen wylan ar ei hynt.

Meirionnydd

(Rhyw feddwl yn uchel ar gyfer stomp)

Mae 'na fannau yma 'Meirion
all dorri 'nghalon i yn deilchion;
mae 'na fannau nad af yno
am nad ŷn nhw'n lle i Gymro;
mannau nad oes neb ar ôl
all gymryd geiriau yn eu côl,
a'u cofleidio fel hen ffrindia'
nes bo' nhw'n gallu troi'n gyfrola'.

Bu unwaith Gell yn nwfn fy nghalon
lle bu un tro ryw bererinion
yn aros nos ar daith i Enlli,
gan blygu glin a sibrwd gweddi,
y caent o Fochras lanw hwylus
i fynd â'r cwch bach draw i'r ynys.
Ond wrth 'styried a myfyrio,
tybed ydi Duw yn cofio
ble mae Mochras? Rhaid yw dysgu
dweud 'Shell Island', rhag ei ddrysu.

Mi es wedyn draw i'r gweunydd,
codi mwstásh taid fel gobennydd
i'r coch y bonddu, fel ers talwm
a'i roi'n fy het, a'i glymu'n gwlwm.
Dois cyn hir at derfyn Gilfach
a daeth rhywun i fy nghyfarch –
"Can I help you?" meddai'n glên,

Llwybrau

mi own i eisiau dweud trwy 'ngwên,
na fedri di fy helpu, gyfaill,
ond un waith bu yma eraill,
yma'n ddiddan, ac mai'r rheiny
fyddai'r rhai a allai f'helpu.

Ond wnes i ddim, dim ond gwenu'n hurt
a thrio dweud fel y gwelais y gwynt
yn suo'r plu gweunydd yn ewyn gwyn –
ond ddeallodd o ddim, edrychodd yn syn.

Sut medra' i ddweud fod gen i hiraeth
am fy mhobl fy hun, am fwy na chwmnïaeth?
Sut medra' i ddweud 'mod i yn gwybod
pan fydd Moelfra'n glir, mae'n siŵr o gawod?
Sut medra' i ddweud am wawl felen Cricieth
a 'mod i'n siŵr y bydd hi'n law mawr dranweth?
Sut medra' i ddweud 'mod i'n gweld Clwt Tair
ac na fyddai hi'n ddoeth i dorri'r gwair?
Sut medra' i ddweud bod blodau'r ddraenen
'run fath â'r doili gwyn dan y gacen
gan Nain, amser te ar ddydd Sul, ers talwm?
Sut medra' i ddweud bod 'nhu mewn i'n gwlwm?
Sut medra' i ddweud … ond fedra' i ddim, naf'dra',
achos does 'na neb ar ôl yn fy nallt i yn fa'ma?

Oes, mae 'na fannau yma 'Meirion,
mannau sydd yn torri 'nghalon;
mannau nad oes neb ar ôl
all gymryd geiriau yn eu côl.

Cerydd

Unwaith – trwy giât y mynydd,
dilynodd gwe'r niwl y ddau
a'u dal
ar lwybr y ceunant.
Ac mewn ennyd
gollyngodd law ei thad,
a llithro o'i afael
rhwng muriau
rhydlyd y rhedyn –
fel llafn o olau'n cilio.

Yntau'n galw i'r niwl,
a'i lygaid yn ceisio olion
y camau bychan
yn y rhedyn.

A'r fechan yn aros
yn ei chuddfan
i daflu cerrig
i ddüwch hollt y ceunant,
a disgwyl wedyn
am y glec yn eco
trwy simneiau'r isfyd.

Wedi ei chanfod
cwyd hi i'w freichiau,
a'i gwasgu ato
ac yn ei gofleidio ef
diflanna'i chwerthin hithau
i'r niwl,
am iddi ddeall
y dychryn yn ei lygaid.

Drych

Weithiau,
daw bysedd
ysgafn yr awel
i anwylo
wyneb y llyn
a'i droi'n gynnwrf
i gyd,
a thrwy les
amryliw'r dail
daw pelydryn aur
i gyffwrdd â'r graig
dan wyneb y dŵr,
a'i throi'n gyfrol
llawn chwedlau hud.

Ond weithiau,
a'r dŵr yn llonydd
daw bysedd eraill
a thaflu i'r llyn
garreg,
a'i llafn yn torri'r llun
yn deilchion,
yn fil
o ddagrau oer.

Hel am Storm

Mae cigfran uwch Llandanwg,
cigfran yn darogan drwg –
ei chysgod dros dywod du,
a llid ei chrawc yn lledu
rhyw ias oer, a phoer ei sen
fu'n ysu trwy Efnisien;
golau y dydd sy'n gwelwi,
daw y nos o'i hadain hi.

Ar draeth mae un ar drothwy'n
ffarwelio a mudo mwy:
yr Ynys Werdd a'i cherdd chwil
yw ei ffawd – mae sŵn ffidil,
a'r nodau'n gwau yn y gwyll
yn dawel – alaw dywyll.
Mae'n oeri, mae hi'n aros
yr un a ŵyr oriau'r nos,
a daw rhyw waedd trwy'i breuddwyd,
i alw trwy'r llanw llwyd
am ddileu'r hen amheuon;
ond a wêl derfysg y don?

Edau'r hen dir sy'n dirwyn,
edau mor frau â hen frwyn,
a cho' hir awr o chwarae
yno'n bell ar draws y bae;
hiraeth y llwybr arian
sydd i hon, mae'r don ar dân –
a'r heli'n mwytho'r hwyliau,
rheng o ddur sydd rhwng y ddau.

Yna i'r gaer draw o'r gorwel
mae niwl yr amau yn hel,

a thrwy'r machlud daw'r drudwy
i'w henwlad â'i marwnad mwy;
mae llosg brad dan ei hadain,
heno rhew sy' 'ngwaed y rhain,
daw arnynt rym y dyrnau
yn eu cof, a'r nos yn cau.

Ac uwch yr hesg yn esgyn
dau lygad du'n syllu'n syn.
Hon yw cigfran Llandanwg,
cigfran yn darogan drwg.

I'r Goeden

(Yn ystod cyfnod y Calan 2009 daeth
newyddion trist am hunanladdiad
dau o fechgyn ifanc y fro.)

Tyrd,
gafael ynof heno;
rho dy fraich
yn dyner, fwyn
amdanaf;
dal fy maich.

Â'th gorff
yn oer a garw,
cymer fi;
caf gysur
yn dy gysgod
tywyll di.

Bydd barrug
ar dy frigau
gyda hyn;
nawr gwarchod fi
rhag rheg
y bore gwyn.

Daw'n Galan eto,
ac mi wn
pan ddaw,
bydd dagrau
yma'n g'lennig –
yn y baw.

Cwmni

Hen ŵr
yn gwylio'r gorwel
am arwydd fod
rhywrai yn dychwel
ar y gwyll
'nôl i adrodd
chwedlau'r dydd
iddo'n rhodd.

Hen stori a glywyd
ganwaith,
ond ni chaiff ddigon
arni chwaith –
stori'r belio
neu'r helfa,
a ddaw eto'n ôl
â nos o ha'.

Ond heno
mae'r gwyll yn lledu:
rhaid troi o'r glwyd
'nôl i'r tŷ,
i dendio'r tân
a phrocio
marwydos oer
ei fyd o.

Crud

(Grisial yn ddeunaw oed)

Fe'th lapiwyd di'n dynn
yn siôl ein gofal
a'th suo i gysgu
dan glydwch
plygiadau'r cwrlid plu.
A phan ddaeth
brath meinwynt y dwyrain
i'th fygwth,
gwthiwyd di'n nes
i gôl dy aelwyd,
a daeth planced arall
o ryw hen, hen gist
yn gysur.

A phan ddaeth y dydd
y teimlaist ti
bwysau'r plu
yn hualau plwm amdanat,
gwyliais innau'n falch
dy gamau talog,
yn pellhau o blygiadau dy blentyndod.

Ond pan ddaw
meinwynt y dwyrain
i'th fygwth fel o'r blaen,
ond iti wrando,
fe ddaw i'th glyw
su'r hwiangerdd yn y gwyll,
a chei deimlo eto
wres plygiadau'r cwrlid plu,
yn lapio'n dynn
amdanat.

Llwybrau

Draenen ar Ffridd Glanrhaeadr

Ar femrwn llwyd yr awyr
mewn inc du,
mae yno ers cyn co',
ei bysedd esgyrnog
yn 'mestyn,
ac ynddynt ymhleth
we denau o wlân
rhyw famog,
a fu un tro'n chwilio
godre'i brat
am gysgod;
yno'n herio'r meinwynt
yn ei chwman,
ei gwisg wen
yn garpiau budron.
Ond cyn hir
daw un gaeaf eto
i lacio'i gafael
ar y graig,
a daw dial y meinwynt
i adael bwlch arall
ar ehangder oer
y memrwn llwyd.

Beth Sy'n Bod ar Gymru?

Meddai Kirsty Marie: *"I'm moving to Spain.*
It's time to move on – get out of the rain."
"That's nice," meddwn inna'n sownd yn fy sêt
Yn cael torri fy ngwallt yn dwt a sidêt.
"You see, I like the odd glass of Rioja.
The trouble with Wales – it doesn't 'ave culture,
Like changing the guards, and thingy Lloyd Webber.
Ok, you've got singing, what's that bloke called … Treber,
You know, he sings about tractyrs and sheep, and his dog,
Hang on for a sec, love, I'll just pop to the bog."

Ac yno fel hunllef mi glywn i ei geiriau.
Ni wyddai hi ddim am ryw hen, hen chwedlau,
Am ferch a wnaed o flodau'r banadl
Heb ddim cydwybod ganddi, dim ond anadl.
Ar chwarel y ffenest mae glaw yn disgyn,
Disgyn yn ysgafn fel dagrau rhywun,
Rhywun a fu'n dioddde'i chur yn dawel
Cyn anfon drudwen ar yr awel.

"The trouble with Wales – it doesn't 'ave culture."

Ar chwarel y ffenest, mae'r cenlli'n dyrnu,
Dyrnu'r pastynau a'r drws yn chwalu;
Y llys yn wag a'r tân heb wreichion,
Costrelau'n sych a'r gwydrau'n yfflon.
Yn Abergwyngregyn mae sŵn wylofain
Y gwynt trwy'r helyg yn galw 'Gwenllian'.

"The trouble with Wales – it doesn't 'ave culture."

Lawr chwarel y ffenest gwelaf nentydd yn llifo
O greigiau Arennig, gan gronni yno
Yn byllau budron gan chwalu cloddiau,
Corlannau, tyddynnod, a thros y toeau,
Ond a oes i Dryweryn ryw linyn arian
I'n dal yn dynn, neu ai rhith yw'r cyfan?

"The trouble with Wales – it doesn't 'ave culture."

Glywest ti rywdro glep troed Lleucu Llwyd,
Fuest ti'n aros am wich y glwyd?
A wnest ti rywdro fynd i drafferth mewn tafarn,
A welest ti'r niwl dros gastell Dolbadarn?
Deimlest ti'r machlud dros y twyni mwyn,
Wnest ti ddarganfod yr aur dan y brwyn?
Wnest ti fwynhau blas y te yn y grug,
Wyddost ti am y brad yn y Rug?
A wnest ti arogli'r eithin bach melyn
Ar fore o Fai ac aros wedyn
I'r brodyr llwydion groesi'r cenlli
Ar bererindod draw i Enlli.
Ai ti a newidiodd enw Llwyngwian
Yn 'Meadow Farm' – a glywi di sgrechian
Plant Glyndŵr o'u carchar yn Llundain?
A glywi di bendil y cloc yn tician?

"This time next week, I'll be on my verandah,
Sipping a lovely full-bodied Rioja,
The trouble with Wales – it does'nt 'ave culture."

Drws

Tyrd, estyn dy law;
am nawr cawn eto deimlo
gwres y dyddiau da,
a'r sgwrsio
a fu'n goleuo oriau'r nos,
un tro.

Clustfeinia ac fe glywi
rythmau'r ddawns
yn suo trwy gilfachau'r cof,
a theimlo gwrid y gwin
yn gynnes ar dy rudd.

Paid â dweud y geiriau,
gad inni swatio
eto am ennyd fach.
Fe wn pan ddônt
yn glec ar glicied,
a thrwy gil y drws,
daw gwawr oer
rhyw Aberhenfelen
i'm deffro,
hebddot ti.

Gwacter

(I rieni Beslan a ffarweliodd
â'u plant, Medi 2004)

Dwy blethen aur, rhubanau gwynion,
Esgidiau sglein du a byclau gloywon;
Wyneb glân glân, llygaid yn pefrio,
Traed bach aflonydd, calon yn gyffro.

Gwlith oer y bore, cusan ar dalcen,
Llaw gynnes mam yn sythu un blethen;
Dwy law yn datod, deigryn yn gwthio,
Braich yn ymestyn – 'Cofia fihafio'.

Troi a gadael ei phlentyn pumlwydd
Yn gymysg i gyd ar antur newydd;
Troi gan dybio fod dwylo yno,
Dwylo gofalus yn barod i dendio.

Ond heno mae hithau'n chwilio'r mudandod
Rhwng muriau sigledig, ac yna'n canfod
Dwy esgid fach ddu, a byclau gloywon
Yng nghanol y llwch a'r gwydrau teilchion.

Dyn Bach y Golau (Cyn dweud Nos Da …)

Awn un waith cyn i ti swatio
i goed Garth Goch trwy'r sêr i chwilio –
rhwng y brigau, o dan y rhedyn,
yn y bwtsias – am ôl traed rhywun.

Tyrd yn dawel, dawel heibio
Craig y Cawr rhag iddo ddeffro;
gwisg dy slipars melfed meddal,
i ddawnsio rîl, ond cymer ofal –
yng nghylch y madarch mae un eiliad
yn para oes, yn sawl hen leuad.

Edrych draw rhwng dail y fedwen –
ai cysgod rhywun? Dim ond pluen.
Rhwng y dail yn casglu mwyar
i fasged fach yn dringar, dringar,
mae dau ddryw bach, ac wrth weithio
maen nhw'n canu ac yn sgwrsio.

Dos yn nes a gwranda'n astud,
fe wyddant hwy am Dir y Machlud;
gofyn iddynt sut ei di yno –
ai ffordd hyn yr aeth o heibio?

Dros y gamfa, trwy yr eithin,
dyma ddarn o fantell rhywun,
yn sidan coch 'run lliw â'r machlud ...
edrych draw, mae'r dail yn symud!

Dacw fo – Dyn Bach y Golau,
ac mae'n cyfrif y munudau;
rho dy ben ar y gobennydd –
mae o'n dringo'r goeden binwydd,
fyny, fyny, mae o'n ymestyn
i gael gafael ar y cortyn –
'clic', a dyna fo, mae'r gola'
wedi diffodd tan y bora.
Tyrd nawr, cau dy lygaid cysglyd;
rwyt ti'n saff yn Nhir y Machlud ... Nos Da!

Neb

Dwi ddim yn rhy dena',
dwi ddim yn rhy dew;
dwi ddim yn dwp,
dwi'n g'neud yn go lew;
dwi ddim yn rhy glyfar,
dwi ddim yn rhy dda;
dwi ddim yn swot,
does gen i'r un pla –
dwi ddim yn amlwg,
dwi ddim yn dweud
am yr holl betha' hyll
rwyt ti'n eu gwneud;
dwi ddim yn Welshi,
dwi ddim o wlad Pwyl;
dwi yno'n y gornel
pan wyt ti yn cael hwyl;
dwi ddim yn clywed,
dwi'n edrych draw
rhag gweld y dagrau
yn gymysg â'r glaw.
Pan wyt ti'n troi i edrych,
â'th wên fileinig,
fydda' i yn iawn –
dwi'n anweledig.

Dwi'n neb.

Llwybrau

Lliw

(Grug yn angladd ei thad)

I'r darlun llwyd
y daethom
yn rhesi llonydd,
fel gleiniau duon
ar raff y llaswyr –
pob un
yn magu atgof,
yn eiriau tawel
yn ei galon.

Ac yna
i'r darlun
daethost ti,
a'th sgidia' sgarlad bach
ar ddawns
yn sgrialu gwyll
y gleiniau llwyd;
ac ynot gwelsom
ddrych
ein hatgofion,
a gwyddom
y daw un dydd
y lliwiau eto'n ôl
i lenwi'r llun.

Elyrch

Dawns i ddau
fu eu dyddiau hwy.
Er dysgu'n dyner
y camau gosgeiddig
i ambell nythiad trwsgwl
yn eu tro,
dim ond dawns i ddau
fu eu dyddiau hwy.

A heno ar lan yr Aber
fe'i gwelais
yn plygu'n addfwyn
i erfyn eto
am un ddawns.
Ond llonydd yw'r llygaid
yn y brwyn;
mae'r dillad les
yn llaid i gyd.
Mae yntau'n aros
a'i adain glaerwen
yn gwarchod ei gariad
rhag ias y nodau dieithr.
Ni ŵyr yntau'r camau bellach,
am mai dim ond dawns i ddau
fu hud eu dyddiau hwy.

Hen Ŵr

Yn ei gwman â'i gamau – y chwilia
   uwch olion hen lwybrau;
  trwy'r niwl yn rhith daw hithau
  o'r tir llwyd yn freuddwyd frau.

Storm

Ewyn oer yno'n poeri – heno'n ffrom,
   mae hen ffrae yn corddi,
  a chur cefnfor yn torri
  yn donnau trwy d'eiriau di.

Dieithriaid

Heno briw eu lleisiau brwd – yn rhedeg
   trwy y rhedyn amrwd;
  ni wêl y rhain liwiau'r rhwd
  yn mygu dan y mwgwd.

Eglwys Santiago de Compostela

('Ef a gymerodd ein gwendidau
ac a ddug ymaith ein clefydau')

Daethant yn bererinion
trwy'r pyrth
hyd y llwybrau culion,
a'u ffyn yn clecian
trwy ganrifoedd cred.

Daethant â'r haul gyda hwy
i dywyllwch syfrdan y cysegr,
ac yno
gollwng eu gweddïau tawel,
a'r rheini'n esgyn
cyn cydio
yng nghudynnau cyrliog
y seraffiaid aur.

Ond yno wrth y porth
fe'u gwelais hwy yn oedi
heb ddod i mewn,
y tad a'i ferch,
hithau'n ei chadair
a'i hwyneb tua'r haul.
Mae'n gwenu arni
cyn plygu
cusan yn ei law
a'i thaflu i'r gwynt.

Ac yno y maent o hyd
yn dawel bach
tu draw i'r porth;
maent yno ym merw'r dorf
yn sŵn y ffliwt,
a stŵr y colomennod llwyd,
yn arogl y glaw ar lwch y stryd
yng ngwaelod gwydr gwin,
a chnul y gloch –
maent yno o hyd
yn llonydd yn y llun,
y ddau bererin
a'u dwy weddi'n un.

Urddas

Yma,
syched yw eistedd
mewn ciw ar darmac,
yn ysu am ein tro
wrth y ffynnon sanctaidd,
a'r gyr
yn un rhes ddisglair
yn cicio'u sodlau'n gecrus
yn y gwres.

Yno
ni ddaeth glaw eleni.
Mae hithau'n sefyll
yn aros,
a'i diadell
yn esgyrn gwynion
yn y pridd coch.
Fe gwyd ei llaw
i hel gwybedyn efallai,
o'i llygaid llonydd,
gan wylio darfod
un diwrnod arall,
a briw llidiog yr haul
yn cau'n gramen galed
dros y tir tawel.

Diwedd y Dydd

Lliwiau'r gwyll ar y gollen
a'r lloer heno'n tynnu'r llen
ar lawnt werdd sy'n gerdd i gyd:
i mi yno mae ennyd
o lonydd, a'r dydd yn dal
ei afael ar hen ofal.

Eistedd a gwrando'n astud
gân y brwyn yn fwyn o fud;
daw alaw rhyw hen delyn
ar y waun i siglo'r ynn,
dawns gyfrin yn rhin yr hwyr
a'i swyn yn hŷn na synnwyr

Cyffwrdd

Safai'n y rhes yn gefnsyth
a'i ysgwyddau llydan
yn llenwi'r siwt.
Crys claerwyn
a'r tei du benthyg
yn crafu'r croen.
Ei ddwylo segur
heddiw'n ddiarth,
wedi eu sgwrio'n lân,
yn barod
i'r ddefod o ysgwyd dwylo.

"Chwith meddwl."
"Colled ar ei hôl."
Geiriau galar
fel conffeti du
yn hofran ar y gwynt.
A'm tro inna',
"Mae'n dda dy weld di, hogan,"
a gwyddwn yn ei wên gynnil
iddo estyn
ei ddwylo llonydd
a'm cofleidio,
cyn troi am y festri,
a'r te.